汉语风 中文分级 **Chinese Breeze**
系列读物 **Graded Reader Series**

第1级
300词级
Level 1
300 Word Level

liǎng ge xiǎng shàng tiān de háizi

两个想上天的孩子

Two Children Seeking the Joy Bridge

（第二版）

主 编　刘月华（Yuehua Liu）　　储诚志（Chengzhi Chu）
原 创　王灵书（Lingshu Wang）

GW00536227

北京大学出版社
PEKING UNIVERSITY PRESS

图书在版编目(CIP)数据

两个想上天的孩子/刘月华,储诚志主编. —2版. —北京:北京大学出版社,2017.5

(汉语风中文分级系列读物)

ISBN 978-7-301-28255-7

Ⅰ.① 两… Ⅱ.① 刘… ②储… Ⅲ.①汉语—对外汉语教学—语言读物 Ⅳ.①H195.5

中国版本图书馆CIP数据核字(2017)第085224号

书 名	两个想上天的孩子(第二版)	
著作责任者	刘月华 储诚志 主编	
	王灵书 原 创	
责 任 编 辑	李 凌	
标 准 书 号	ISBN 978-7-301-28255-7	
出 版 发 行	北京大学出版社	
地 址	北京市海淀区成府路205号 100871	
网 址	http://www.pup.cn 新浪微博:@北京大学出版社	
电 子 信 箱	zpup@pup.cn	
电 话	邮购部 62752015 发行部 62750672 编辑部 62753027	
印 刷 者	北京大学印刷厂	
经 销 者	新华书店	
	850毫米×1168毫米 32开本 2.375印张 37千字	
	2008年1月第1版	
	2017年5月第2版 2017年5月第1次印刷	
定 价	20.00元	

刘月华

　　毕业于北京大学中文系。原为北京语言学院教授，1989年赴美，先后在卫斯理学院、麻省理工学院、哈佛大学教授中文。主要从事现代汉语语法，特别是对外汉语教学语法研究。近年编写了多部对外汉语教材。主要著作有《实用现代汉语语法》（合作）《趋向补语通释》《汉语语法论集》等，对外汉语教材有《中文听说读写》（主编）、《走进中国百姓生活——中高级汉语视听说教程》（合作）等。

储诚志

　　夏威夷大学博士，美国中文教师学会前任会长，加州大学戴维斯分校中文部主任，语言学系博士生导师。兼任多所大学的客座教授或特聘教授，多家学术期刊编委。曾在北京语言大学和斯坦福大学任教多年。

王灵书

　　高级记者，中国作家协会会员，中国报告文学学会会员。主要作品有长篇报告文学《失落的小太阳》，爱情专著《爱的寻觅》，社会问题专著《当代警世通言》，家教专著《走出中国家教盲区》，女性问题专著《半个世界咏叹调》《女性百味人生》，报告文学集《明星写真》，专访特写集《名人探秘》，新闻专著《新闻竞争的"秘密武器"》等。

Yuehua Liu

A graduate of the Chinese Department of Peking University, Yuehua Liu was Professor in Chinese at the Beijing Language and Culture University. In 1989, she continued her professional career in the United States and had taught Chinese at Wellesley College, MIT, and Harvard University for many years. Her research concentrated on modern Chinese grammar, especially grammar for teaching Chinese as a foreign language. Her major publications include *Practical Modern Chinese Grammar* (co-author), *Comprehensive Studies of Chinese Directional Complements*, and *Writings on Chinese Grammar* as well as the Chinese textbook series *Integrated Chinese* (chief editor) and the audio-video textbook set *Learning Advanced Colloquial Chinese from TV* (co-author).

Chengzhi Chu

Chu is associate professor and coordinator of the Chinese Language Program at the University of California, Davis, where he also serves on the Graduate Faculty of Linguistics. He is the former president of the Chinese Language Teachers Association, USA, and guest professor or honorable professor of several other universities. Chu received his Ph.D. from the University of Hawaii. He had taught at the Beijing Language and Culture University and Stanford University for many years before joining UC Davis.

Lingshu Wang

Senior Reporter, a professional writer, and a member of All-China Writers Association and Chinese Reportage Association, Wang has written widely on social issues of modern China. His literary and research works include *The Fallen Little Sun, Looking for Love, Get out of the Blind Area of Private Tutoring, An Aria for the Half-World, A Portrait of Stars, About Men of Mark,* and *Secret Weapons on the Arena of Journalism.*

前　言

　　学一种语言,只凭一套教科书,只靠课堂的时间,是远远不够的。因为记忆会不断地经受时间的冲刷,学过的会不断地遗忘。学外语的人,不是经常会因为记不住生词而苦恼吗?一个词学过了,很快就忘了,下次遇到了,只好查词典,这时你才知道已经学过。可是不久,你又遇到这个词,好像又是初次见面,你只好再查词典。查过之后,你会怨自己:脑子怎么这么差,这个词怎么老也记不住!其实,并不是你的脑子差,而是学过的东西时间久了,在你的脑子中变成了沉睡的记忆,要想不忘,就需要经常唤醒它,激活它。"汉语风"分级读物,就是为此而编写的。

　　为了"激活记忆",学外语的人都有自己的一套办法。比如有的人做生词卡,有的人做生词本,经常翻看复习。还有肯下苦功夫的人,干脆背词典,从A部第一个词背到Z部最后一个词。这种做法也许精神可嘉,但是不仅过程痛苦,效果也不一定理想。"汉语风"分级读物,是专业作家专门为"汉语风"写作的,每一本读物不仅涵盖相应等级的全部词汇、语法现象,而且故事有趣,情节吸引人。它使你在享受阅读愉悦的同时,轻松地达到了温故知新的目的。如果你在学习汉语的过程中,经常以"汉语风"为伴,相信你不仅不会为忘记学过的词汇、语法而烦恼,还会逐渐培养出汉语语感,使汉语在你的头脑中牢牢生根。

　　"汉语风"的部分读物出版前曾在华盛顿大学(西雅图)、范德堡大学和加州大学戴维斯分校的六十多位学生中试用。感谢这三所大学的毕念平老师、刘宪民老师和魏苹老师的热心组织和学生们的积极参与。夏威夷大学的姚道中教授、加州大学戴维斯分校的李宇以及博士生 Ann Kelleher 和 Nicole Richardson 对部分读物的初稿提供了一些很好的编辑意见,在此一并表示感谢。

Foreword

When it comes to learning a foreign language, relying on a set of textbooks or spending time in the classroom is not nearly enough. Memory is eroded by time; you keep forgetting what you have learned. Haven't we all been frustrated by our inability to remember new vocabulary? You learn a word and quickly forget it, so next time when you come across it you have to look it up in a dictionary. Only then do you realize that you used to know it, and you start to blame yourself, "why am I so forgetful?" when in fact, it's not your shaky memory that's at fault, but the fact that unless you review constantly, what you've learned quickly becomes dormant. The *Chinese Breeze* graded series is designed specially to help you remember what you've learned.

Everyone learning a second language has his or her way of jogging his or her memory. For example, some people make index cards or vocabulary notebooks so as to thumb through them frequently. Some simply try to go through dictionaries and try to memorize all the vocabulary items from A to Z. This spirit is laudable, but it is a painful process, and the results are far from sure. *Chinese Breeze* is a series of graded readers purposely written by professional authors. Each reader not only incorporates all the vocabulary and grammar specific to the grade but also contains an interesting and absorbing plot. They enable you to refresh and reinforce your knowledge and at the same time have a pleasurable time with the story. If you make *Chinese Breeze* a constant companion in your studies of Chinese, you won't have to worry about forgetting your vocabulary and grammar. You will also develop your feel for the language and root it firmly in your mind.

Thanks are due to Nyan-ping Bi, Xianmin Liu, and Ping Wei for arranging more than sixty students to field-test several of the readers in the *Chinese Breeze* series. Professor Tao-chung Yao at the University of Hawaii. Ms. Yu Li and Ph.D. students Ann Kelleher and Nicole Richardson of UC Davis provided very good editorial suggestions. We thank our colleagues, students, and friends for their support and assistance.

主要人物和主要地点
Main Characters and Main Places

明明 Míngming

an elementary school pupil, boy

真真 Zhēnzhen

another elementary school pupil, girl

明明的爸爸 Míngming de bàba

Mingming's father

明明的妈妈 Míngming de māma

Mingming's mother

真真的爸爸 Zhēnzhen de bàba

Zhenzhen's father

真真的妈妈 Zhēnzhen de māma

Zhenzhen's mother

太原市 Tàiyuán Shì: a city in China, the capital of Shanxi province

文中所有专有名词下面有下画线，比如：<u>明明</u>、<u>太原市</u>
(All the proper nouns in the text are underlined, such as in <u>明明</u>、<u>太原市</u>)

目　录
Contents

1. 孩子不见了

　　明明和真真一起不见了。时间是 8 月 8 号，农历[1]七月四日[2]，星期一。

　　明明 8 岁，是个男孩子，上小学[3]二年级[4]。真真 7 岁，是个女孩子，上小学[3]一年级[4]。他们都是太原市人，两个人的家住得很近，又是一个学校的同学。现在学校不上课，他们每[5]天都去一个英文老师家学习英文。

　　星期一上午，他们吃了饭，就去英文老师家了。可是到了上午 10 点钟，老师给明明和真真的家里来了电话。他们的爸爸妈妈都工作去了，只[6]有明明的爷爷和真真的奶奶在家里。老师问：今天这两个孩子为什么没有来上课？是不是身体不舒服？感冒了

5

10

15

1. 农历 nónglì: the Chinese lunar calendar
2. 日 rì: day, date
3. 小学 xiǎoxué: elementary school
4. 年级 niánjí: grade, year (in school)
5. 每 měi: every, each
6. 只 zhǐ: only, just

吗？这几天天气不太好，常常有学生感冒。

　　明明的爷爷和真真的奶奶告诉老师：孩子早上⁷吃了饭，就去老师家了。
5　怎么会没有去上课？他们去哪儿了？两个老人马上打电话给孩子的爸爸妈妈，告诉他们孩子没有去老师家上课的事，老人让他们马上去找孩子。

　　孩子没有去老师家上课？到什么
10　地方去了？现在他们在复习，马上要考试，他们学习很忙，为什么没去上课？明明和真真的爸爸妈妈都觉得有

7. 早上 zǎoshang: early morning

问题！两家人都很着急⁸。

明明的爸爸给真真的爸爸打了电话。他们想，这两个孩子喜欢游泳，上个星期天他们一起去游泳，玩儿到很晚才⁹回来，今天会不会也是去游泳了？两个爸爸很快来到了孩子们上次游泳的地方，可是孩子们不在里面，他们问在那里工作的小姐，小姐也说今天没见到这样两个孩子。

5

公园也是明明和真真喜欢去玩儿的地方，周末¹⁰的时候两家的大人¹¹常常带着他们去公园。从游泳的地方出来，真真的爸爸对明明的爸爸说："我

10

8. 着急 zháo jí: worried, anxious
9. 才 cái: just, not until (indicating being late)
10. 周末 zhōumò: weekend
11. 大人 dàren: adult

们不要一起找了，太原市有十几个公园，你去东边¹²的几个，我去西边¹³的几个，这样快一点儿。我们先去孩子常常去的那两个公园。""好，就这样。

5 我找完了一个公园就打电话给你，你找完了一个公园也要打电话给我。"

两个爸爸找了一个公园，又找了一个公园，十几个公园他们都找了。孩子们的妈妈还去了图书馆、医院¹⁴

10 和很多别的¹⁵地方。可是，在那些地方都没有看见明明和真真……

Want to check your understanding of this part?
Go to the questions on page 48.

12. 东边 dōngbian: east side
13. 西边 xībian: west side
14. 医院 yīyuàn: hospital
15. 别的 biéde: other, else

2. 找警察[16]

　　从外面回到家里，明明的爸爸妈妈和真真的爸爸妈妈都觉得问题很大了。现在是下午4点半了，没见到明明和真真已经8个小时了，孩子还没有回来，两家人都觉得应该马上去找警察[16]。

　　到了警察[16]那儿，一个女警察[16]先问明明的爸爸妈妈："请问，你们的孩子叫什么名字？"

　　"明明。"明明的妈妈说。

　　"男孩儿？"

　　"是的。"

　　"几岁了？"

　　"8岁。"

　　"什么时候不见的？"

　　"今天早上[7]8点30分，孩子吃完饭去英文老师家上课，可是老师没有看到他，孩子没有去老师家。从上午

16. 警察 jǐngchá: police

到现在，我们去游泳的地方和公园找他们，可是都没有找到。"

"这几天，孩子跟以前有什么不一样吗？"

"没有不一样的地方。孩子这几天在复习，准备英文考试。昨天是星期天，晚上吃完饭，他高高兴兴地看了一会儿电视，还学习了一会儿。睡觉以前，他还看了故事[17]书。"

"什么故事[17]书？"

"《牛郎[18]织女[19]》。"

"明明喜欢这个故事[17]吗？"

"很喜欢。这是明明最喜欢的故事[17]，他6岁的时候就买了那本书，买了以后常常看。有一天看完书，他问我们：牛郎[18]和织女[19]都是好人，牛郎[18]爱[20]织女[19]，织女[19]也爱[20]牛郎[18]，他们为什么一年只[6]能见一次面？他还说他不喜欢天上的皇帝[21]，觉得那个皇帝[21]对牛郎[18]和织女[19]真不好。"

---

17. 故事 gùshi: story, tale
18. 牛郎 Niúláng: Cowherd, hero of a most beloved legendary love story of China
19. 织女 Zhīnǚ: Weaving Goddess, heroine of a most beloved legendary love story of China
20. 爱 ài: love, be fond of
21. 皇帝 huángdì: emperor

　　"昨天晚上看完《牛郎 [18] 织女 [19]》
以后呢? 他做什么了?"

　　"晚上9点半, 我和他爸爸让他快点
儿睡觉, 他说知道了, 就去睡觉了。今
天早上 [7] 起来吃完饭就上课去了。" 　　5

　　"孩子走的时候穿什么衣服?"

　　"是运动服 [22], 红的。"

　　"孩子多高? 长得什么样?"

　　"不太高, 有1米 [23] 40, 眼睛 [24] 大
大的。" 　　10

　　说到这里, 明明的妈妈拿出明明
的照片, 给女警察 [16] 看。照片上是个

---

22. 运动服 yùndòngfú: sports wear
23. 米 mǐ: meter
24. 眼睛 yǎnjing: eye

很好看的男孩子。

女警察¹⁶又开始问真真的妈妈："请问，你的孩子叫什么名字？"

"真真。"

"几岁了？"

"7岁。"

"是女孩儿？"

"是的。"

"是跟明明一起不见的吗？"

"是的。他们是一个学校的同学，一起上英文课，还是很好的朋友。我们两家住得很近，他们从小就在一起玩儿。"

"真真这几天和以前有什么不一样的地方吗?"

"没有。她跟明明一样,英文课很快要考试了,她昨天下午在家学习,准备考试。晚上9点多就去睡觉了。今天早上7起来,也是8点半吃完饭去老师家的。" 5

"真真今天穿的是什么衣服?"

"和明明一样,也是运动服22,是红的。" 10

"她多高?"

"1米23 30。您看,这是她的照片。"

女警察16拿起真真的照片,上面是一个漂亮的小女孩儿,还在笑25着,样子很好看。 15

女警察16写下了明明和真真的妈妈说的话,对他们说:"你们不要着急8,我们马上帮你们找孩子。"

"谢谢您!" 20

"不客气。"

Want to check your understanding of this part?
Go to the questions on page 48.

25. 笑 xiào: smile, laugh

3. "寻人启事²⁶"

找了那么²⁷多地方，都没有找到这两个孩子。警察¹⁶能不能帮他们找到孩子，他们也不知道。明明和真真的爸爸妈妈觉得，应该马上写一个"寻人启事²⁶"。

他们的"寻人启事²⁶"是这么写的：

明明，男，8岁，高1米²³40。大眼睛²⁴，穿红的运动服²²。真真，7岁，高1米²³30，眼睛²⁴不太大，样子很好看，也穿红的运动服²²。明明和真真是小学³的同学，他们在8月8号上午不见了，请见到这两个孩子的朋友，马上打电话告诉我们。找到孩子以后，我们会给您5,000块钱。谢谢您。

26. 寻人启事 xún rén qǐshì: a "people missing" notice for help from the public
27. 那么 nàme: so, so very much

"寻人启事[26]"上有明明和真真的照片。下面有明明和真真家里的电话，还有他们爸爸妈妈的手机[28]号码[29]。"寻人启事[26]"很快就贴[30]到了太原市的很多公园、学校、图书馆、饭馆儿，和别的[15]不少地方，有的地方很近，有的地方很远。

5

Want to check your understanding of this part?
Go to the questions on page 49.

28. 手机 shǒujī: cell phone
29. 号码 hàomǎ: number
30. 贴 tiē: post, paste, stick to

4. 来电话了

贴[30]完了"寻人启事[26]"，已经很晚了，两家的大人[11]忙了一天，还没有吃饭，他们都累极了[31]。他们不知道"寻人启事[26]"能不能帮他们找到孩子。第二天，也就是8月9号，他们很早就起来了，还是在太原市每[5]个地方找，找了三个小时，还是不见明明和真真，也没有人给他们打电话。

明明的爸爸妈妈和真真的爸爸妈妈都又累又着急[8]。他们想，孩子会不会让坏人带走了？他们两家都很有钱[32]，有些[33]坏人想要钱，就带走有钱[32]人的孩子，让孩子的家里人拿钱换人。太原市以前有过这样的事。想到这里，明明和真真的爸爸妈妈都有点儿怕[34]。

到了下午两点，来了一个电话，

---

31. 极了 jí le: extremely, very
32. 有钱 yǒu qián: be in the money, rich
33. 有些 yǒuxiē: some
34. 怕 pà: fear, worry about

电话是打到明明爸爸的手机[28]上的：
"喂，是明明的爸爸王先生吗？"

"是，是，请问你是……？"

"我告诉你，你们的孩子在我们这里，马上准备50,000块钱。5,000块钱不行，要50,000块。送钱的地方我再打电话告诉你们。你们不要告诉警察[16]，告诉了警察[16]，你们就见不到你们好看的明明了。听见[35]了没有？" 5

"是，是，先生，听见[35]了。请问您在哪里？我要听孩子说话！"明明爸爸又问。可是打电话的人不说话了。 10

35. 听见 tīng jiàn: hear

明明家里的人都很着急[8]，他们不知道那个人什么时候再来电话。

下午5点钟，那个人的电话来了。

"是王先生吗？"

"是的。"

"50,000块钱准备好了没有？今天晚上7点钟，在你家房子后面的公园那儿，你们给我钱，我给你们孩子。我再说一次，你们不能告诉警察[16]，告诉了警察[16]，你们就见不到你们的明明了。听见[35]了没有？"

"听见[35]了，听见[35]了！没问题。我们7点一定拿钱去。"明明的爸爸非常客气地说。

要不要告诉警察[16]？家里人想的不一样。明明的妈妈怕[34]坏人知道他们告诉了警察[16]，孩子就不能回来了，她不想告诉警察[16]。但是明明的爸爸觉得要告诉警察[16]。他说，坏人拿了钱，孩子也不一定能回来，还是告诉警察[16]好。他马上给警察[16]打了电话，也准备好了50,000块钱。

6点15分，两个男警察[16]一个女警察[16]来到了明明的家里。他们换下了警察[16]衣服，就像明明家里的人一

样，和明明的爸爸妈妈一起来到了他
家房子后面的公园里，在那儿等着坏
人来拿钱，等着明明回来。

已经7点钟了，不见有人来。

7点10分了，还是不见人来。

5

7点15分的时候，明明的爸爸接
到了电话："我们知道警察[16]跟你们一
起来了。对不起，你们现在不能见到
孩子。你们回去吧，给钱换人的地方
我以后再打电话告诉你们。"

10

"什么？有警察[16]？没有！真的没
有！喂！喂！我们现在就给你钱，现

在就给……"打电话的人没等明明爸爸说完话，就不说话了。

明明的爸爸妈妈和三个警察[16]只[6]能一起回去，等着那个人再打电话来。

5　　那天下午1点半，真真的妈妈也接到一个电话，是一个小姐打来的。那个小姐说真真在她们那里，她让真真家马上准备好40,000块钱。她也不要真真妈妈告诉警察[16]。

10　　晚上5点半，那个小姐又来电话了："40,000块钱准备好了没有？我说过，真真在我们这里，两个小时以后，也就是晚上7点15分，在你家房

子前面400米²³买菜的地方，你们拿钱来换孩子，40,000块，一点儿都不能少!"

"行! 行! 40,000块，我们已经准备好了。"真真的妈妈客气地说着，真真的爸爸也听着。他们已经准备好了钱，就等7点15分给钱换孩子了。

但是，要不要告诉警察¹⁶呢？真真爸爸妈妈想的也不一样。妈妈怕³⁴孩子回不来，不想告诉警察¹⁶；爸爸说还是请警察¹⁶帮助³⁶好。最后，他们给警察¹⁶打了电话。

晚上6点20分，两个女警察¹⁶和两个男警察¹⁶就来到了真真的家里。他们换下了警察¹⁶衣服，就像真真的家里人，和真真的爸爸妈妈一起来到了她家房子前面400米²³买菜的地方，在那里等着打电话的人来。

7点15分到了，不见来人。

7点20分，还是没有人来。

7点25分的时候，真真的妈妈接到了电话："你们让警察¹⁶跟你们一起

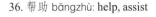

36. 帮助 bāngzhù: help, assist

来了。现在不能让你们见到孩子！给
钱换人的地方以后再打电话告诉你
们。下次你们还让警察¹⁶来，就见不
到孩子了！”

5　　　"什么？什么警察¹⁶？没有啊！
喂！喂？……"

　　没等真真的妈妈说完，那个人就
不说话了。真真一家人和四个警察¹⁶
只⁶能回去，等着那个人再打电话。

Want to check your understanding of this part?
Go to the questions on page 49.

5. 抓³⁷到坏人

警察¹⁶从明明和真真的家里回来以后，大家在一起开会³⁸。一个警察¹⁶说："我觉得这两次打电话的人是一起的。"

"为什么这么说？"

"因为来电话的时候说的话一样，怎么给钱换人也一样。"

"是，很像，很可能³⁹是一起的。"

"不错，是一样。"

"坏人再来的时候，我们警察¹⁶应该在汽车上，不要跟明明和真真的家人在一起。"

"我也觉得我们去的时候不应该跟明明和真真的家人在一起。"

"为什么？"

"因为人太多。"

"是的，我们一定要这样做。"

37. 抓 zhuā: catch, arrest
38. 开会 kāi huì: have a meeting
39. 可能 kěnéng: probably

"大家说的都不错。我们一定要抓 37 住这些坏人，不能让他们跑了。"

警察 16 刚刚开完会，明明的爸爸就打电话来了。他说："坏人刚才又打
5 电话来了，他让我们今天晚上11点20分拿钱给他，地方是我家后面公园西门100米 23 的大楼下。"

"你们准备好钱，在家里等着，我们马上过去。"一个警察 16 对明明的爸
10 爸说。

这时候，真真的爸爸也打电话来了："那个坏人刚才又打电话来了，她让我们今天晚上11点半拿钱给她换真

真，地方是我家房子南面⁴⁰第六个大楼的后面。"

"我们马上到你家。你们准备好钱，在家里等着。"一个警察¹⁶对真真的爸爸说。

晚上11点，警察¹⁶和明明、真真的家人都来到了给钱换人的地方。这次跟上次不一样，明明的爸爸妈妈和真真的爸爸妈妈拿钱来了，警察¹⁶没有跟他们在一起。

时间到了，那两个地方都来了两个蒙面⁴¹的坏人。明明的爸爸妈妈和真真的爸爸妈妈刚把钱拿出来给他们，就听见³⁵有人大叫："什么人？"警察¹⁶很快跑过来，抓³⁷住了四个蒙面⁴¹的坏人。

这四个人，三个男的和一个女的，看到有警察¹⁶，都是很怕³⁴的样子，他们对警察¹⁶和明明跟真真的爸爸妈妈一次又一次地说着"对不起、对不起……"

"明明和真真在哪儿？"警察¹⁶问他们。

---

40. 南面 nánmiàn: the south
41. 蒙面 méngmiàn: masked

"我们不知道，我们没有带走明明和真真，也没有看到他们，我们只⁶想要钱。因为看见了'寻人启事²⁶'，所

以我们知道<u>明明</u>和<u>真真</u>不见了，也知
道了<u>明明</u>和<u>真真</u>家的电话。我们真的
只⁶是想要钱。"

　　警察¹⁶又问："晚上 7 点的时候，
你们是怎么知道我们跟<u>明明</u>和<u>真真</u>的
爸爸妈妈一起来的？" 5

　　坏人说："我们不知道。7 点的时
候我们没想拿钱。我们只⁶想看看他们
会不会来。"

　　"你们四个人是不是一起的？还有
别人⁴²吗？" 10

　　"是的，我们是一起的。只⁶有我
们四个，没有别人⁴²了。"

　　坏人抓³⁷住了，可是坏人没有带
走<u>明明</u>和<u>真真</u>，他们也没有看见这两
个孩子。<u>明明</u>和<u>真真</u>在哪里呢？ 15

Want to check your understanding of this part?
Go to the questions on page 49–50.

---

42. 别人 biérén: other people, others

6. 两个买飞机票⁴³的孩子

8月10号上午。太原市机场⁴⁴。

这天天气很好。11点钟的时候，来了一男一女两个孩子，他们问机场⁴⁴的一个警察¹⁶：

5

"叔叔，在哪里买飞机票⁴³？"

买飞机票⁴³？两个孩子？因为是

43. 飞机票 fēijīpiào: air-ticket
44. 机场 jīchǎng: airport

两个孩子，没有跟大人[11]在一起，那个警察[16]觉得有点儿奇怪[45]，就问他们：

"小朋友，你们为什么来买飞机票[43]？是去哪儿旅行吗？"

"不是。" 5

"爸爸妈妈呢？"

"在工作。"

"你们叫什么名字？"

"我叫明明。她叫真真。"

"告诉叔叔，你们的家在哪儿？" 10

"就在太原市。"

"你们今年几岁了？"

"我8岁，她7岁。"明明说。

"你们都是学生吧？"

"他上小学[3]二年级[4]。我上小学[3] 15
一年级[4]。"真真说。

"你们是哪一天从家里出来的？是今天吗？"

"不是，是前天[46]出来的。"

"前天[46]？那你们这两天在哪儿？ 20
晚上在哪儿睡觉的？"

"明天我们要坐飞机到天上去。怕[34]飞机票[43]很难买，所以我们前天[46]

45. 奇怪 qíguài: strange, weird
46. 前天 qiántiān: the day before yesterday

就出来了，要早一点儿来机场⁴⁴买飞机票⁴³。可是我们走错了，去了火车站⁴⁷，就在那儿睡觉了。我们还去了一些别的¹⁵地方，今天才⁹坐公共汽车

5　找到了机场⁴⁴。"

　　警察¹⁶听了孩子们的话，觉得这里面有很大的问题。他马上又问：

　　"你们从家里出来，爸爸妈妈知道不知道？"

10　"不知道。我们没有告诉他们。"明明说。

　　"因为告诉了他们，他们就不让我们坐飞机了。"真真也说。

　　"你们三天没有回家，爸爸妈妈一

15　定很着急⁸。告诉叔叔，你们家的电话是多少？我给他们打个电话，告诉他们你们在这儿。"

　　"不行，不能告诉他们，他们知道了就不让我们坐飞机了。"

20　"为什么一定要坐飞机？"

　　"我们要到天上去。"

　　"到天上去？你们去天上做什么？"

　　"看牛郎¹⁸织女¹⁹见面呀⁴⁸！叔叔，

47. 火车站 huǒchēzhàn: railway station
48. 呀 ya: mood particle, = 啊 (a)

你知道明天是什么日子[49]吗?"真真问
警察[16]。

"什么日子[49]?"

"农历[1]七月七日[2]，是牛郎[18]织女[19]
见面的日子[49]。"

5

"啊，对。你们不说，我都忘了。"

"我们没有忘，牛郎[18]织女[19]的故
事[17]，我们两个人都知道，那是我们
最喜欢的故事[17]。叔叔，我说给你听
吧。"

10

Want to check your understanding of this part?
Go to the questions on page 50.

49. 日子 rìzi: day, date

7. 真真说的故事[17]

牛郎[18]织女[19]的故事[17]中国人都知道，警察[16]小时候就听过。但是，他想知道这两个孩子为什么来机场[44]坐飞机，还不要告诉家里的大人[11]，所以，警察[16]就对真真说："好，你说吧。"

下面就是真真说的故事[17]——

在很多很多年以前，有个男孩子，他叫牛郎[18]。他的爸爸妈妈死[50]得很早，他跟着哥哥、嫂子[51]一起住。可是嫂子[51]很坏，常常让他做很多事。一天下午，嫂子[51]让他去放牛[52]。她只[6]给了牛郎[18]9头[53]牛[54]，可是让他回来的时候，一定要带10头[53]牛[54]，没有[10]头[53]牛[54]就不能回家。牛郎[18]带着9

50. 死 sǐ: die, be dead
51. 嫂子 sǎozi: sister-in-law
52. 放牛 fàng niú: feed the cattle
53. 头 tóu: head, a classifier for domestic animals
54. 牛 niú: cow, ox, cattle

头[53]牛[54]出去了。到了一个地方，他坐在那里，很不快乐，他不知道什么时候能有10头[53]牛[54]，什么时候能回家。

在他着急[8]的时候，有个老人来了。老人问牛郎[18]为什么不高兴？听牛郎[18]说了他的问题以后，老人对他说："你别着急[8]，你到前边去看看，那里有一头[53]老牛[54]，它[55]病[56]了，没有人要它[55]了。你去找一些好的草[57]给它[55]吃，让它[55]喝一些干净[58]的水，过一些

5

10

---

55. 它 tā: it
56. 病 bìng: sickness, disease; get sick, be ill
57. 草 cǎo: grass, hay
58. 干净 gānjìng: clean

时间，等老牛[54]的病[56]好了以后，你就可以带着它[55]一起回家，就有10头[53]牛[54]了。"

听了老人的话，<u>牛郎</u>[18]往前走，

5　走了很长的路[59]，找到了那头[53]有病[56]的老牛[54]。他带着老牛[54]，每[5]天都找很好的草[57]给老牛[54]吃，又给老牛[54]喝很干净[58]的水。过了一个月，老牛[54]的病[56]好了，<u>牛郎</u>[18]就高高兴兴地带着10

10　头[53]牛[54]回家了。

59. 路 lù: road, way

牛郎[18]回家以后，嫂子[51]对他还是不好。嫂子[51]也不喜欢那头[53]老牛[54]，觉得老牛[54]太老了。但是牛郎[18]还是跟以前一样，每[5]天都让老牛[54]吃很好的草[57]，喝很好的水。这样，嫂子[51]很不高兴。有一天，她对牛郎[18]说："你喜欢老牛[54]，你跟老牛[54]一起出去吧，以后就不要回来了。"牛郎[18]怕[34]嫂子[51]，他的哥哥也不帮助[36]他，所以牛郎[18]只[6]能带着那头[53]老牛[54]一起走了。

在外边，牛郎[18]自己常常没有东西吃，但是他每[5]天一定要给老牛[54]找很好的草[57]，让老牛[54]吃得很高兴。

有一天，老牛[54]开始说话了："牛郎[18]，你不要怕[34]。我会说话，你过来。我告诉你，我不是地上的牛[54]，我是从天上来的，因为做错了事，所以天上的皇帝[21]要我来这里，不让我在天上……"

5

10

15

Want to check your understanding of this part?
Go to the questions on page 50–51.

8. 明明说的故事[17]

　　真真说的故事[17]很有意思，警察[16]听得很高兴。真真说到这里，明明也要说，后面的故事[17]是明明说的——

5　　老牛[54]对牛郎[18]说："我知道你是个好人，你现在生活[60]很难，你应该有一个家，有一个妻子[61]帮助[36]你。"

　　听了老牛[54]的话，牛郎[18]说："一个妻子[61]？我没有钱，也没有房子，10 我什么都没有，哪个女孩儿会做我的妻子[61]？"

　　老牛[54]说："牛郎[18]，你不要着急[8]，听我慢慢儿[62]说。天上的皇帝[21]有一个小女儿，叫织女[19]，她非常漂亮，也是一个非常好的人。她常常到15 地上来游泳，明天上午还会来，她游泳的地方就在前边，不太远。明天她

---

60. 生活 shēnghuó: life; live
61. 妻子 qīzi: wife
62. 慢慢儿 mànmānr: slowly, gradually

来的时候，你去找她，她会喜欢你的，她会是一个最好的妻子[61]。"

听了老牛[54]的话，牛郎[18]不知道是不是真的，但是老牛[54]能说话，这个事就很奇怪[45]！所以牛郎[18]第二天上午就去了前边可以游泳的地方。 5

织女[19]看到了牛郎[18]，觉得牛郎[18]是个好人，长得也很好看，很喜欢他。

后来[63]，织女[19]就做了牛郎[18]的妻子[61]，她帮助[36]牛郎[18]，两个人努力[64]工作，他们很快就有了一个不错的家。 10

过了两年，牛郎[18]和织女[19]有了两个孩

63. 后来 hòulái: later, afterwards
64. 努力 nǔlì: make efforts, try hard

子，一个男孩儿和一个女孩儿，一家人过得很快乐。

可是，这事让天上的皇帝²¹知道了，他让织女¹⁹的妈妈王母娘娘⁶⁵下来把织女¹⁹带回天上，牛郎¹⁸就再也见不到织女¹⁹了。织女¹⁹哭⁶⁶啊，哭⁶⁶啊，她不要回到天上去，可是王母娘娘⁶⁵不听，还是把她带走了。

牛郎¹⁸跟孩子在地上，他非常想织女¹⁹，孩子也每⁵天要妈妈。他们一定要到天上去找织女¹⁹，可是不知道

65. 王母娘娘 Wángmǔ-niángniang: Queen Mother (of Heaven)
66. 哭 kū: cry, weep

怎么去。这时候，老牛[54]告诉牛郎[18]：
"你等一等，不要着急[8]，我老了，很
快就要死[50]了，我死[50]了以后，你用我
的皮[67]做一双[68]鞋[69]，穿着那双[68]鞋[69]，
你就可以带着孩子，到天上去找织
女[19]了。"   5

　　牛郎[18]喜欢老牛[54]，他不想让老
牛[54]死[50]。可是，几天以后，老牛[54]真
的死[50]了。牛郎[18]哭[66]了很长时间。后
来[63]，他听老牛[54]的话，用老牛[54]的皮[67]   10
做了一双[68]鞋[69]。穿着这双[68]鞋[69]，他带
着儿子和女儿，三个人一起到天上找

67. 皮 pí: skin, leather
68. 双 shuāng: pair; double
69. 鞋 xié: shoe

织女¹⁹去了。

在他要见到织女¹⁹的时候，王母娘娘⁶⁵来了。"地上的人怎么可以到天上来！"王母娘娘⁶⁵看见牛郎¹⁸和他的孩子，很不高兴，就在天上划⁷⁰了一条⁷¹很大很长的河⁷²，牛郎¹⁸和孩子在河⁷²的这边，织女¹⁹在河⁷²的那边，让他们不能到一起。那条⁷¹河⁷²就是我们晚上可以看见的银河⁷³。

牛郎¹⁸在银河⁷³的这边大叫着织女¹⁹的名字，两个孩子也哭⁶⁶着叫妈妈，但是他们看不见织女¹⁹……

很快，他们的事让天上的喜鹊⁷⁴知道了，喜鹊⁷⁴们觉得王母娘娘⁶⁵那样做不对，牛郎¹⁸爱²⁰织女¹⁹，织女¹⁹爱²⁰牛郎¹⁸，他们没有什么错，他们应该在一起，孩子也应该跟着妈妈。

喜鹊⁷⁴们这样想着，就要帮助³⁶牛郎¹⁸和织女¹⁹。他们都跑到银河⁷³上面，一个一个地站⁷⁵着，从银河⁷³的这

70. 划 huá: scratch the surface
71. 条 tiáo: a classifier used for long and thin things
72. 河 hé: river
73. 银河 Yínhé: "Silver River", the Milky Way
74. 喜鹊 xǐquè: magpie
75. 站 zhàn: stand, be on one's feet

边站[75]到银河[73]的那边，像一个桥[76]一
样，大家都叫它鹊桥[77]。这样，牛郎[18]
就带着孩子走到鹊桥[77]上边，织女[19]也
从银河[73]那边走来了，他们一家人在
鹊桥[77]上见面了！

5

　　王母娘娘[65]又很快知道了这件
事，她要把牛郎[18]和他的孩子都抓[37]起
来。可是喜鹊[74]们都对她说，牛郎[18]和
织女[19]没有什么错，请她不要抓[37]牛

76. 桥 qiáo: bridge
77. 鹊桥 Quèqiáo: Joy Bridge (literally "Magpie Bridge")

郎¹⁸。王母娘娘⁶⁵想了一想，说："好吧，这次我不抓³⁷他们，但是这里是天上，跟地上不一样，牛郎¹⁸和织女¹⁹不能每⁵天都在一起，今天是七月七日²，以后他们每⁵年只⁶能在这一天见一次面！"

就这样，从那以后，每⁵年七月七日²这一天，就是牛郎¹⁸和织女¹⁹见面的日子⁴⁹

。那一天，我们在地上很少能看到喜鹊⁷⁴，因为它们⁷⁸都到天上做鹊桥⁷⁷去了。那一天，天气一定不太好，常常下雨⁷⁹。那是因为牛郎¹⁸和织女¹⁹见面时都哭⁶⁶了。

明明说完了故事¹⁷，警察¹⁶看着这两个孩子，觉得他们说得真好。

这时，真真又对警察¹⁶说："叔叔，还有呢！你知道吗？每⁵天晚上，我们都能看见天上那一条⁷¹银河⁷³，在银河⁷³的两边，有两个很亮⁸⁰的星

---

78. 它们 tāmen: they (for animals and inanimate objects)
79. 下雨 xià yǔ: rain
80. 亮 liàng: bright, shine
81. 星星 xīngxing: star

星[81]，那两个星星[81]，一个就是织女[19]，还有一个是牛郎[18]。牛郎[18]星的两边有两个很亮[80]的小星星[81]，那是牛郎[18]和

Want to check your understanding of this part?
Go to the questions on page 51.

织女[19]的两个孩子。"

　　故事[17]说完了，警察[16]对两个孩子说："你们说的故事[17]真好，我很喜欢。你们要坐飞机到天上去，是想看

5 牛郎[18]织女[19]吗？"

　　"是的，明天是农历[1]七月七日[2]，我们要到天上去看牛郎[18]和织女[19]在鹊桥[77]上见面，我们还想问问王母娘娘[65]，她为什么不让牛郎[18]和织女[19]在

10 一起？"明明说。

　　"牛郎[18]和织女[19]都是好人，他们没有错，他们也都很好看。"真真也说。

　　"啊，是这样！"警察[16]知道这两个孩子为什么一定要坐飞机到天上去

15 了。警察[16]想告诉孩子，牛郎[18]织女[19]只[6]是一个很老的故事[17]，不是真的，天上没有牛郎[18]，也没有织女[19]，坐飞机到天上看不到他们。可是，他知道，对两个孩子这样说，他们一定会

20 很不高兴。

　　"那你们为什么不告诉爸爸妈妈，

让他们带你们一起去？"警察¹⁶想了一想，这样问他们。

"明天是星期四，爸爸妈妈要我们去老师家学习英文，准备考试，告诉了他们，他们就不会让我们去很远的地方了。"

"买飞机票⁴³要很多钱，你们有吗？"警察¹⁶想，他们没有那么²⁷多钱，就会回家的。

"有，我们有钱。"

"有多少？"

"我有1,000块，他有900块。"明明说。

"这么多？"

"我家里还有呢。都是大人¹¹给的。"真真说。

警察¹⁶又想了想，对他们说："你们知道吗，买飞机票⁴³要大人¹¹帮你们，小孩子不能买，要到18岁。"

"啊？真的吗？"

"是真的。这样吧，你们告诉我你们家里的电话，我请你们的爸爸妈妈来机场⁴⁴，让他们也买飞机票⁴³，带着你们一起到天上去看牛郎¹⁸织女¹⁹，好不好？"

"可是，可是，他们不会带我们去

的，他们要我们去老师家学英文[文]，明天是星期四，我们不能玩儿。"

"不要怕[34]，叔叔跟你们的爸爸妈妈说，也跟你们的老师说，我一定让

5　他们明天带你们坐飞机上天。"

警察[16]这样说，两个孩子高兴起来："那好。叔叔，你一定要帮助[36]我们！"

知道了两个孩子家里的电话，警

10　察[16]马上给他们的爸爸妈妈打了电话。听到警察[16]说孩子在机场[44]，他们都没有问问题，明明和真真的妈妈都高兴得哭[66]了。

"谢谢您，谢谢您！我们马上就过

15　去！"明明和真真的爸爸对警察[16]说。

"先生，不要着急[8]，请听我说，你们的孩子都非常喜欢牛郎[18]和织女[19]

的故事[17]，明天是农历[1]七月七日[2]，他们
要坐飞机到天上去看牛郎[18]织女[19]，
这是他们最想做的事。你们明天可以
带他们一起坐飞机吗？你们不带他们
坐飞机，这两个孩子就不回家。他们 5
太喜欢牛郎[18]织女[19]了。”

　　“可以，可以，我们带他们坐飞
机，一定带他们坐，孩子没问题就
好！”警察[16]的话还没完，真真的爸爸
就说。 10

　　40分钟以后，明明和真真的爸爸
妈妈就坐车来到了机场[44]。

　　“孩子，孩子，我的明明！”

　　“真真，真真！妈妈想你啊——”

　　两个妈妈见到孩子，又哭[66]了起 15

来，<u>真真</u>和<u>明明</u>也都哭[66]了。

　　"爸爸，妈妈，我要看<u>牛郎</u>[18]<u>织女</u>[19]，我要坐飞机去看他们，我现在不要回家，不要去老师家……"<u>真真</u>哭[66]着对爸爸妈妈说。

　　"好，好孩子，我们坐飞机，爸爸妈妈带你去看<u>牛郎</u>[18]<u>织女</u>[19]！我们还要坐飞机去<u>北京</u>，好吗?"孩子们高兴地说："太好了!"

　　8月11号，农历[1]七月七日[2]，天气很好，<u>明明</u>和<u>真真</u>跟爸爸妈妈很早就来到了<u>太原市</u>的机场[44]，他们拿着飞机票[43]，马上要坐飞机上天，去<u>北京了</u>。

Want to check your understanding of this part, go to the questions on page 51.

To check your global understanding of this reader, go to the questions on page 52.

生词表
Vocabulary list

1	农历	nónglì	the Chinese lunar calendar
2	日	rì	day, date
3	小学	xiǎoxué	elementary school
4	年级	niánjí	grade, year (in school)
5	每	měi	every, each
6	只	zhǐ	only, just
7	早上	zǎoshang	early morning
8	着急	zháo jí	worried, anxious
9	才	cái	just, not until (indicating being late)
10	周末	zhōumò	weekend
11	大人	dàren	adult
12	东边	dōngbian	east side
13	西边	xībian	west side
14	医院	yīyuàn	hospital
15	别的	biéde	other, else
16	警察	jǐngchá	police
17	故事	gùshi	story, tale
18	牛郎	Niúláng	Cowherd, hero of a most beloved legendary love story of China
19	织女	Zhīnǚ	Weaving Goddess, heroine of a most beloved legendary love story of China
20	爱	ài	love, be fond of
21	皇帝	huángdì	emperor
22	运动服	yùndòngfú	sports wear
23	米	mǐ	meter
24	眼睛	yǎnjing	eye

25	笑	xiào	smile, laugh
26	寻人启事	xún rén qǐshì	a "people missing" notice for help from the public
27	那么	nàme	so, so very much
28	手机	shǒujī	cell phone
29	号码	hàomǎ	number
30	贴	tiē	post, paste, stick to
31	极了	jí le	extremely, very
32	有钱	yǒu qián	be in the money, rich
33	有些	yǒuxiē	some
34	怕	pà	fear, worry about
35	听见	tīng jiàn	hear
36	帮助	bāngzhù	help, assist
37	抓	zhuā	catch, arrest
38	开会	kāi huì	have a meeting
39	可能	kěnéng	probably
40	南面	nánmiàn	the south
41	蒙面	méngmiàn	masked
42	别人	biérén	other people, others
43	飞机票	fēijīpiào	air-ticket
44	机场	jīchǎng	airport
45	奇怪	qíguài	strange, weird
46	前天	qiántiān	the day before yesterday
47	火车站	huǒchēzhàn	railway station
48	呀	ya	mood particle, = 啊 (a)
49	日子	rìzi	day, date
50	死	sǐ	die, be dead
51	嫂子	sǎozi	sister-in-law
52	放牛	fàng niú	feed the cattle

53	头	tóu	head, a classifier for domestic animals
54	牛	niú	cow, ox, cattle
55	它	tā	it
56	病	bìng	sickness, disease; get sick, be ill
57	草	cǎo	grass, hay
58	干净	gānjìng	clean
59	路	lù	road, way
60	生活	shēnghuó	life; live
61	妻子	qīzi	wife
62	慢慢儿	mànmānr	slowly, gradually
63	后来	hòulái	later, afterwards
64	努力	nǔlì	make efforts, try hard
65	王母娘娘	Wángmǔ-niángniang	Queen Mother (of Heaven)
66	哭	kū	cry, weep
67	皮	pí	skin, leather
68	双	shuāng	pair; double
69	鞋	xié	shoe
70	划	huá	scratch the surface
71	条	tiáo	a classifier used for long and thin things
72	河	hé	river
73	银河	Yínhé	"Silver River", the Milky Way
74	喜鹊	xǐquè	magpie
75	站	zhàn	stand, be on one's feet
76	桥	qiáo	bridge
77	鹊桥	Quèqiáo	Joy Bridge (literally "Magpie Bridge")
78	它们	tāmen	they (for animals and inanimate objects)
79	下雨	xià yǔ	rain
80	亮	liàng	bright, shine
81	星星	xīngxing	star

练 习

Exercises

1. 孩子不见了

根据故事选择正确答案。Select the correct answer for each of the questions.

(1) 老师打电话给明明和真真的家里,因为

    a. 学校要考试了,可是明明和真真不复习。

    b. 明明和真真没有去老师家学英文,不知道他们在哪里。

(2) 明明和真真的爸爸妈妈想明明和真真去游泳了,因为

    a. 今天他们在游泳的地方玩儿了一上午。

    b. 他们很喜欢游泳。

(3) 明明和真真的爸爸去公园找孩子的时候,

    a. 他们一起去了 11 个公园。

    b. 明明的爸爸去东边[12]的公园,真真的爸爸去西边[13]的公园。

(4) 下面哪个说法是对的?Between the two statements below, which one is correct?

    a. 明明是男孩儿,8 岁,二年级[4];真真是女孩儿,7 岁,一年级[4]。

    b. 明明是女孩儿,7 岁,一年级[4];真真是男孩儿,8 岁,二年级[4]。

2. 找警察[16]

根据故事选择正确答案。Select the correct answer for each of the questions.

(1) 明明和真真的爸爸妈妈觉得问题大了,因为

    a. 孩子玩儿得太多了,没有准备考试。

    b. 他们找孩子找了 8 个小时了,还是没找到孩子。

(2) 谁昨天睡觉前看了《牛郎[18]织女[19]》?

    a. 明明   b. 真真

(3) 明明和真真有哪些一样的地方?

    a. 他们都是 1 米[23]30。   b. 他们走的时候都穿红运动服[22]。

3. "寻人启事²⁶"

下 面 的 说 法 哪 个 对 , 哪 个 不 对 ? Mark the correct statements with "T" and the incorrect ones with "F".

(1) "寻人启事²⁶"上说:请见到这两个孩子的人给明明和真真的 妈妈爸爸打电话。　　　　　　　　　　　　(　　)

(2) "寻人启事²⁶"上说:帮我们找到孩子以后我们会给50,000块 钱。　　　　　　　　　　　　　　　　　　(　　)

(3) "寻人启事²⁶"上有明明和真真家的电话号码²⁹。　(　　)

(4) "寻人启事²⁶"只⁶贴³⁰在学校和公园。　　　　　　(　　)

4. 来电话了

下 面 的 说 法 哪 个 对 , 哪 个 不 对 ? Mark the correct statements with "T" and the incorrect ones with "F".

(1) 坏人给明明的爸爸打电话说:明明在我们这儿,马上准备 5,000块钱。　　　　　　　　　　　　　　　(　　)

(2) 坏人给明明的爸爸打电话说:晚上7点给钱换人。　(　　)

(3) 坏人说:"告诉了警察¹⁶,你们就见不到明明了。"　(　　)

(4) 接到坏人的电话以后真真的妈妈想告诉警察¹⁶。　(　　)

(5) 坏人7点来了,但是没有抓³⁷到他们。　　　　　　(　　)

5. 抓³⁷到坏人

根 据 故 事 选 择 正 确 答 案 。 Select the correct answer for each of the questions.

(1) 警察¹⁶想坏人都是一起的,因为

a. 他们打电话给明明家和真真家说的话一样。

b. 给钱换人的地方一样。

(2) 去抓³⁷坏人的时候,警察¹⁶和明明的爸爸在一起吗?

a. 在一起。

b. 不在一起。

（3）坏人一共有几个人？

    a. 三个男人和一个女人。

    b. 两个男人和两个女人。

（4）这些坏人知道明明和真真在哪里吗？

    a. 知道。

    b. 不知道。

6. 两个买飞机票[43]的孩子

根据故事选择正确答案。 Select the correct answer for each of the questions.

（1）明明和真真对警察[16]说，他们是什么时候从家里出来的？

    a. 前天[46]。

    b. 昨天。

（2）明明和真真为什么今天才[9]到机场[44]？

    a. 他们想先去火车站[47]看看。

    b. 他们不知道机场[44]在哪里，走错了地方，今天才[9]坐公共汽车到机场[44]。

（3）明明和真真对警察[16]说，他们的爸爸和妈妈知道他们出来吗？

    a. 不知道。

    b. 知道。

（4）明明和真真说他们为什么要坐飞机？

    a. 要去旅行。

    b. 他们要到天上去。

7. 真真说的故事[17]

下面的说法哪个对，哪个不对？ Mark the correct statements with "T" and the incorrect ones with "F".

（1）牛郎[18]的爸爸妈妈死[50]得很早。   （   ）

（2）牛郎[18]的嫂子[51]对他很好。   （   ）

（3）牛郎[18]的嫂子[51]给他9头[53]牛[54]，让他带10头[53]牛[54]回来。 （   ）

(4) 一头[53]老牛[54]病[56]了,牛郎[18]给它[55]喝水、吃好草[57]。老牛[54]的
病[56]好了。 （ ）

(5) 牛郎[18]带10头[53]牛[54]回家,嫂子[51]就对他很好了。 （ ）

(6) 牛郎[18]带着老牛[54]走了,他没有家了。 （ ）

8. 明明说的故事[17]

下面的说法哪个对,哪个不对? Mark the correct statements with "T" and the incorrect ones with "F".

(1) 织女[19]和牛郎[18]一起游泳的时候,他们认识了。 （ ）

(2) 织女[19]爱[20]牛郎[18],牛郎[18]也爱[20]织女[19],织女做了牛郎[18]的妻子[61]。
（ ）

(3) 两年以后,牛郎[18]和织女[19]有了一个女孩儿。 （ ）

(4) 织女[19]的妈妈要织女[19]回到天上去,不能跟牛郎[18]在一起。
（ ）

(5) 牛郎[18]带着两个孩子到天上去找织女[19],王母娘娘[65]还是不
让他们每[5]天在一起。 （ ）

(6) 牛郎[18]和织女[19]每[5]年只[6]可以农历[1]七月七日[2]在鹊桥[77]上见面。
（ ）

9. 还是要上天

下面的说法哪个对,哪个不对? Mark the correct statements with "T" and the incorrect ones with "F".

(1) 明明和真真的钱是谁给的?

　　a. 爸爸妈妈。

　　b. 大人[11]。

(2) 明明和真真为什么高兴起来了?

　　a. 爸爸妈妈要和他们一起坐飞机到天上去。

　　b. 他们看到牛郎[18]织女[19]了。

综合理解 Global understanding

下面的话有的说得不对，请找出来，并且改正。Can you find out the mistakes in the following passage and correct them?

　　明明和真真是好朋友，他们两家住得很近，常常在一起玩儿。这两个孩子都很喜欢牛郎[18]织女[19]的故事[17]。明天是农历[1]七月七日[2]，牛郎[18]一个人要和织女[19]在鹊桥[77]上见面，所以明明和真真想坐飞机上天去看看牛郎[18]和织女[19]。他们早上[7]上学以后，没有告诉妈妈，就去机场[44]了。家里人在明明和真真不见了以后，找了很多地方，也找了警察[16]，还贴[30]了"寻人启事[26]"。有六个坏人看了"寻人启事[26]"，知道明明和真真不见了，也知道了他们妈妈的电话号码[29]，就打电话说明明和真真在他们那里，叫明明和真真家里拿钱换孩子。明明的妈妈接到坏人的电话以后，告诉了警察[16]。警察[16]抓[37]到了这些坏人，可是这些坏人只[6]想要钱，不知道孩子在哪里。最后机场[44]的警察[16]找到了这两个孩子，知道他们想坐飞机上天看牛郎[18]和织女[19]，就告诉了明明和真真的爸爸妈妈。爸爸妈妈看见了孩子很高兴，他们和警察[16]要在农历[1]七月七日[2]跟明明真真一起坐飞机上天。

练习答案

Answer keys to the exercises

1. 孩子不见了

   (1) b   (2) b   (3) b   (4) a

2. 找警察[16]

   (1) b   (2) a   (3) b

3. "寻人启事[26]"

   (1) T   (2) F   (3) T   (4) F

4. 来电话了

   (1) F   (2) T   (3) T   (4) F   (5) F

5. 抓[37]到坏人

   (1) a   (2) b   (3) a   (4) b

6. 两个买飞机票[43]的孩子

   (1) a   (2) b   (3) a   (4) b

7. 真真说的故事[17]

   (1) T   (2) F   (3) T   (4) T   (5) F   (6) T

8. 明明说的故事[17]

   (1) F   (2) T   (3) F   (4) T   (5) T   (6) T

9. 还是要上天

   (1) b   (2) a

综合理解 Global understanding

明明和真真是好朋友,他们两家住得很近,常常在一起玩儿。这两个孩子都很喜欢牛郎[18]织女[19]的故事[17],<u>明天</u>(后天)是农历[1]七月七日[2],牛郎[18]<u>一个人要</u>(要带着两个孩子)和织女[19]在鹊桥[77]上见面,所以明明和真真想坐飞机上天去看看牛郎[18]和织女[19]。他们<u>早上[7]上学以后</u>(没有去老师家学英文),没有告诉妈妈(家里人),就去机场[44]了。家里人在明明和真真不见了以后,找了很多地方,也找了警察[16],还贴[30]了"寻人启事[26]"。有<u>六个</u>(四个)坏人看了"寻人启事[26]",知道明明和真真不见了,也知道了他们<u>妈妈</u>(爸爸妈妈)的电话号码[29],就打电话说明明和真真在他们那里,叫明明和真真家里拿钱换孩子。<u>明明的妈妈</u>(明明和真真的爸爸妈妈)接到坏人的电话以后,告诉了警察[16]。警察[16]抓[37]到了这些坏人,可是这些坏人只[6]想要钱,不知道孩子在哪里。最后机场[44]的警察[16]<u>找到</u>(看见)了这两个孩子,知道他们想坐飞机上天看牛郎[18]和织女[19],就告诉了明明和真真的爸爸妈妈。爸爸妈妈看见了孩子很高兴,<u>他们和警察</u>[16](他们)在农历[1]七月七日[2]跟明明真真一起坐飞机上天。

为所有中文学习者(包括华裔子弟)编写的
第一套系列化、成规模、原创性的大型分级
轻松泛读丛书

"汉语风"(Chinese Breeze)分级系列读物简介

"汉语风"(Chinese Breeze)是一套大型中文分级泛读系列丛书。这套丛书以"学习者通过轻松、广泛的阅读提高语言的熟练程度,培养语感,增强对中文的兴趣和学习自信心"为基本理念,根据难度分为8个等级,每一级6—8册,共近60册,每册8,000至30,000字。丛书的读者对象为中文水平从初级(大致掌握300个常用词)一直到高级(掌握3,000—4,500个常用词)的大学生和中学生(包括修美国AP课程的学生),以及其他中文学习者。

"汉语风"分级读物在设计和创作上有以下九个主要特点:

一、等级完备,方便选择。精心设计的8个语言等级,能满足不同程度的中文学习者的需要,使他们都能找到适合自己语言水平的读物。8个等级的读物所使用的基本词汇数目如下:

第1级:300 基本词	第5级:1,500 基本词
第2级:500 基本词	第6级:2,100 基本词
第3级:750 基本词	第7级:3,000 基本词
第4级:1,100 基本词	第8级:4,500 基本词

为了选择适合自己的读物,读者可以先看看读物封底的故事介绍,如果能读懂大意,说明有能力读那本读物。如果读不懂,说明那本读物对你太难,应选择低一级的。读懂故事介绍以后,再看一下书后的生词总表,如果大部分生词都认识,说明那本读物对你太容易,应试着阅读更高一级的读物。

二、题材广泛,随意选读。丛书的内容和话题是青少年学生所喜欢的侦探历险、情感恋爱、社会风情、传记写实、科幻恐怖、神话传说等等。学习者可以根据自己的兴趣爱好进行选择,享受阅读的乐趣。

三、词汇实用,反复重现。各等级读物所选用的基础词语是该等级的学习者在中文交际中最需要最常用的。为研制"汉语风"各等级的基础词

表，"汉语风"工程首先建立了两个语料库：一个是大规模的当代中文书面语和口语语料库，一个是以世界上不同地区有代表性的40余套中文教材为基础的教材语言库。然后根据不同的交际语域和使用语体对语料样本进行分层标注，再根据语言学习的基本阶程对语料样本分别进行分层统计和综合统计，最后得出符合不同学习阶程需要的不同的词汇使用度表，以此作为"汉语风"等级词表的基础。此外，"汉语风"等级词表还参考了美国、英国等国和中国大陆、台湾、香港等地所建的10余个当代中文语料库的词语统计结果。以全新的理念和方法研制的"汉语风"分级基础词表，力求既具有较高的交际实用性，也能与学生所用的教材保持高度的相关性。此外，"汉语风"的各级基础词语在读物中都通过不同的语境反复出现，以巩固记忆，促进语言的学习。

四、易读易懂，生词率低。"汉语风"严格控制读物的词汇分布、语法难度、情节开展和文化负荷，使读物易读易懂。在较初级的读物中，生词的密度严格控制在不构成理解障碍的1.5%到2%之间，而且每个生词（本级基础词语之外的词）在一本读物中初次出现的当页用脚注做出简明注释，并在以后每次出现时都用相同的索引序号进行通篇索引，篇末还附有生词总索引，以方便学生查找，帮助理解。

五、作家原创，情节有趣。"汉语风"的故事以原创作品为主，多数读物由专业作家为本套丛书专门创作。各篇读物力求故事新颖有趣，情节符合中文学习者的阅读兴趣。丛书中也包括少量改写的作品，改写也由专业作家进行，改写的原作一般都特点鲜明、故事性强，通过改写降低语言难度，使之适合该等级读者阅读。

六、语言自然，地道有味。读物以真实自然的语言写作，不仅避免了一般中文教材语言的枯燥和"教师腔"，还力求鲜活地道。

七、插图丰富，版式清新。读物在文本中配有丰富的、与情节内容自然融合的插图，既帮助理解，也刺激阅读。读物的版式设计清新大方，富有情趣。

八、练习形式多样，附有习题答案。读物设计了不同形式的练习以促进学习者对读物的多层次理解；所有习题都在书后附有答案，以方便查对，利于学习。

九、配有录音，两种语速选择。各册读物所附的故事录音（MP3格式），有正常语速和慢速两种语速选择，学习者可以通过听的方式轻松学习、享受听故事的愉悦。故事录音可通过扫描封底的二维码获得，也可通过网址http://www.pup.cn/dl/newsmore.cfm?sSnom=d203下载。

ABOUT *Hànyǔ Fēng* (*Chinese Breeze*)

Hànyǔ Fēng (*Chinese Breeze*) is a large and innovative Chinese graded reader series which offers nearly 60 titles of enjoyable stories at eight language levels. It is designed for college and secondary school Chinese language learners from beginning to advanced levels (including AP Chinese students), offering them a new opportunity to read for pleasure and simultaneously developing real fluency, building confidence, and increasing motivation for Chinese learning. *Hànyǔ Fēng* has the following main features:

☆ Eight carefully graded levels increasing from 8,000 to 30,000 characters in length to suit the reading competence of first through fourth-year Chinese students:

Level 1: 300 base words	Level 5: 1,500 base words
Level 2: 500 base words	Level 6: 2,100 base words
Level 3: 750 base words	Level 7: 3,000 base words
Level 4: 1,100 base words	Level 8: 4,500 base words

To check if a reader is at one's reading level, a learner can first try to read the introduction of the story on the back cover. If the introduction is comprehensible, the leaner will be able to understand the story. Otherwise the learner should start from a lower level reader. To check whether a reader is too easy, the learner can skim the Vocabulary (new words) Index at the end of the text. If most of the words on the new word list are familiar to the learner, then she/ he should try a higher level reader.

☆ Wide choice of topics, including detective, adventure, romance, fantasy, science fiction, society, biography, mythology, horror, etc. to meet the diverse interests of both adult and young adult learners.

☆ Careful selection of the most useful vocabulary for real life communication in modern standard Chinese. The base vocabulary used for writing each level was generated from sophisticated computational analyses of very large written and spoken Chinese corpora as well as a language databank of over 40 commonly used or representative Chinese textbooks in different countries.

☆ Controlled distribution of vocabulary and grammar as well as the deployment of story plots and cultural references for easy reading and efficient learning, and highly recycled base words in various contexts at each level to maximize language development.

☆ Easy to understand, low new word density, and convenient new word glosses and indexes. In lower level readers, new word density is strictly limited to 1.5% to 2%. All new words are conveniently glossed with footnotes upon first appearance and also fully indexed throughout the texts as well as at the end of the text.

☆ Mostly original stories providing fresh and exciting material for Chinese learners (and even native Chinese speakers).

☆ Authentic and engaging language crafted by professional writers teamed with pedagogical experts.

☆ Fully illustrated texts with appealing layouts that facilitate understanding and increase enjoyment.

☆ Including a variety of activities to stimulate students' interaction with the text and answer keys to help check for detailed and global understanding.

☆ Audio files in MP3 format with two speed choices (normal and slow) accompanying each title for convenient auditory learning. Scan the QR code on the backcover, or visit the website http://www.pup.cn/dl/newsmore.cfm?sSnom=d203 to download the audio files.

"汉语风"系列读物其他分册
Other *Chinese Breeze* titles

"汉语风"全套共8级近60册,自2007年11月起由北京大学出版社陆续出版。下面是已经出版或近期即将出版的各册书目。请访问北京大学出版社网站(www.pup.cn)关注最新的出版动态。

Hànyǔ Fēng (*Chinese Breeze*) series consists of nearly 60 titles at eight language levels. They have been published in succession since November 2007 by Peking University Press. For most recently released titles, please visit the Peking University Press website at www.pup.cn.

第1级:300词级
Level 1:300 Word Level

错,错,错!
Wrong, Wrong, Wrong!

6月8号,北京。一个漂亮的小姐在家里死(sǐ: die)了,她身上有一封信,说:"我太累了,我走了。"下面写的名字是"林双双"。双双有一个妹妹叫对对,两人太像了,别人都不知道哪个是姐姐,哪个是妹妹……死(sǐ: die)了的小姐是双双,对对到哪里去了?死(sǐ: die)了的小姐是对对,为什么信上写的是"林双双"?

June 8, Beijing. A pretty girl lies dead on the floor of her luxury home. A slip of paper found on her body reads, "I'm tired. Let me leave..." At the bottom of the slip is a signature: Lin Shuangshuang.

Shuangshuang has a twin-sister called Duidui. The two girls look so similar that others can hardly tell who's who. Is the one who died really Shuangshuang? Then where is Duidui? If the one who died is Duidui as someone claimed, then why is the signature on the slip Lin Shuangshuang?

我一定要找到她……
I Really Want to Find Her...

那个女孩儿太漂亮了,戴伟、杰夫和秋田看到了她的照片,都要去找她!照片是老师死前给他们的,可是照片上的中国女孩儿在哪儿?他们都不知道。最后,他们到中国是怎么找到那个女孩儿的?女孩儿又和他们说了什么?

She is really beautiful. Just one look at her photo and three guys, Dai-wei, Jie-fu and Qiu-tian, are all determined to find her! The photo was given to them by their professor before he died. And nobody knows where in China the girl is. How can the guys find her? And what happens when they finally see her?

我可以请你跳舞吗?
Can I Dance with You?

一个在银行工作的男人,跟他喜欢的女孩子刚认识,可是很多警察来找他,要带他走,因为银行里的一千万块钱不见了,有人说是他拿走的。

但是,拿那些钱的不是他,他知道是谁拿的。可是,他能找到证据吗?这真太难了。还有,以后他还能和那个女孩子见面吗?

A smart young man suddenly gets into big trouble. He just fell in love with a pretty girl, but now the police come and want to arrest him. The bank he works for lost 10 million dollars, and the police list him as a suspect.

Of course he is not the robber! He even knows who did it. But can he find evidence to prove it to the police? It's all just too much. Also, will he be able to see his girlfriend again?

向左向右
Left and Right: The Conjoined Brothers

向左和向右是两个男孩子的名字,爸爸妈妈也不知道向左是哥哥还是向右是哥哥,因为他们连在一起,是一起出生的连体人。他们每天都一起吃,一起住,一起玩儿。他们常常都很快乐。有时候,弟弟病了,哥哥帮他吃药,弟弟的病就好了。但是,学校上课的时候,他们在一起就不方便了……

Left and Right are two brothers. Even their parents don't know who is older and who is younger, as they are Siamese twins. They must do everything together. They play together, eat together, and sleep together. Most of the time they enjoy their lives and are very happy. When one was sick, the other helped his brother take his medicine and he got better. However, it's no fun anymore when they sit in class together but one brother dislikes the other's subjects...

你最喜欢谁?
Whom Do You Like More?

谢红去了外国,她是方新喜欢的人,可是方新不想去外国,因为他要在中关村做他喜欢的工作。小月每天来看方新,她是喜欢方新、也能帮方新的人,可是方新还是想着谢红。方新真不知道应该怎么办……

Xie Hong, Fang Xin's true love, has gone abroad to fulfill her dream. But Fang Xin only wants to stay in Zhongguancun in Beijing doing work that he enjoys. Xiao-yue comes to visit Fang Xin every day. She is the one who really understands Fang Xin. She loves him and can offer him the help that he badly needs. But only Xie Hong is in Fang Xin's mind. What should Fang Xin do? He seems to be losing his way in life...

第2级:500词级
Level 2：500 Word Level

电脑公司的秘密
Secrets of a Computer Company

我家的大雁飞走了
Our Geese Have Gone

青凤
Green Phoenix

如果没有你
If I Didn't Have You

妈妈和儿子
Mother and Son

出事以后
After the Accident

一张旧画儿
An Old Painting

第3级:750词级
Level 3: 750 Word Level

第三只眼睛
The Third Eye

画皮
The Painted Skin

留在中国的月亮石雕
The Moon Sculpture Left Behind

朋友
Friends

第4级:1,100词级
Level 4: 1,100 Word Level

好狗维克
Vick the Good Dog

两件红衬衫
Two Red Shirts